# Band 15
## Insel der Wikinger

# Inhalt

# WIE ALLES ANFING

Eines Tages tauchte ein geheimnisvolles
Baumhaus in den Wäldern von Pepper Hill in
Pennsylvania auf.

Der achtjährige Philipp und seine sieben-
jährige Schwester Anne kletterten hinauf und
entdeckten, dass es voller Bücher war.

Die beiden Geschwister fanden schnell heraus,
dass es ein magisches Baumhaus war, mit dem
sie zu all den Orten reisen konnten, die in den
Büchern abgebildet waren. Alles, was sie dafür
tun mussten, war, auf eines der Bilder zu
deuten und sich zu wünschen, sie wären dort.

Das Baumhaus gehörte Morgan, einer
Zauberin und Bibliothekarin, die durch Zeit
und Raum reiste, um Bücher für die
Bibliothek am Hofe des Königs Artus
zu sammeln.

In ihren letzten Abenteuern mit dem magischen Baumhaus lösten Philipp und Anne vier alte Rätsel und wurden von Morgan zu Meister-Bibliothekaren ernannt. Um ihnen ihre zukünftigen Aufgaben zu erleichtern, gab Morgan den Geschwistern geheime Bibliothekskarten, auf denen die Buchstaben MB schimmerten. Als Meister-Bibliothekare mussten Philipp und Anne zunächst zweimal in die Vergangenheit reisen und zwei Bücher aus alten Bibliotheken vor der Vernichtung retten. Von ihrer ersten Zeitreise haben die Geschwister eine alte römische Schriftrolle mitgebracht. Auf ihrer zweiten Reise retteten sie ein Bambus-Buch aus dem alten China.

Und jetzt brechen sie auf zu ihrer dritten Mission ...

# Vor Sonnenaufgang

Philipp öffnete die Augen.

Als er aus dem Fenster sah, stellte er fest, dass es draußen neblig und grau war. Auf seinem Wecker war es drei Uhr nachts. Alles war ganz ruhig.

„Heute reisen wir ins alte Irland", dachte er und war ganz aufgeregt. „Mehr als tausend Jahre in die Vergangenheit!"

Die Zauberin Morgan hatte ihn schon davor gewarnt, dass es gefährliche Zeiten waren, damals, als Wikinger die Küstenorte überfallen haben.

„Bist du wach?", flüsterte jemand im Dunkeln.

Anne stand an Philipps Zimmertür. Sie war schon angezogen und bereit zu gehen.

„Ja", flüsterte Philipp und kletterte aus dem Bett. „Wir treffen uns gleich draußen."

Er zog Jeans, T-Shirt und Turnschuhe an. Seine geheime Bibliothekskarte steckte er zusammen mit seinem Notizbuch und einem Stift in seinen Rucksack. Dann rannte er die Treppe hinunter.

Anne wartete ungeduldig im Hof auf ihn.

Die Luft war feucht und neblig.

„Fertig?", fragte sie.

Philipp holte tief Luft.

„Ich glaube schon", flüsterte er. Er machte sich Gedanken wegen der Wikinger.

Sie gingen schweigend durch das taunasse Gras. Dann rannten sie die Straße entlang und bogen in den Wald von Pepper Hill ein.

Schließlich stapften sie durch den dunklen Wald. Nebelschwaden hingen zwischen den Bäumen.

„Man sieht ja kaum etwas", stellte Philipp fest.

„Wo ist das Baumhaus?", fragte Anne.

„Keine Ahnung", antwortete Philipp.

In dem Moment fiel direkt vor ihnen etwas von oben herunter.

„Vorsicht!", schrie Philipp, schlug die Arme über dem Kopf zusammen und schloss die Augen.

„Es ist die Leiter!", rief Anne.

Philipp machte vorsichtig die Augen wieder auf.

Direkt vor ihnen baumelte die Strickleiter des magischen Baum-hauses.

Philipp sah nach oben. Das Baumhaus lag in einer Nebelwolke.

„Komm schon, lass uns hochgehen!", drängte Anne.

Sie ergriff die Strickleiter und begann hinaufzuklettern. Philipp stieg ihr hinterher.

Sie kletterten durch den Nebel hinauf ins Baumhaus.

„Hallo", begrüßte Morgan die Geschwister. „Ich freue mich, euch zu sehen."

Sie saß in einer Ecke. Zu ihren Füßen lag die Schriftrolle, die Philipp und Anne aus der alten römischen Stadt mitgebracht hatten. Daneben lag das Bambus-Buch aus dem alten China.

„Ich freue mich, Sie zu sehen!", sagte Philipp.

„Ich auch", sagte Anne.

„Es ist gut, dass ihr heute so früh kommt", meinte Morgan.

Sie griff in die Falten ihres Gewandes und zog ein Stück Papier hervor.

„Das ist die alte Geschichte, die ihr heute finden sollt", erklärte sie.

Morgan gab Philipp das Blatt. Darauf standen die Worte

 erpens Magna

Dieser geheimnisvolle Schriftzug erinnerte Philipp an seine und Annes Reise in die alte römische Stadt Pompeji.

„Das sieht aus wie Latein", sagte er.

„Sehr gut!", lobte Morgan. „Es ist tatsächlich lateinisch."

„Aber ich dachte, sie haben nur im alten Rom lateinisch gesprochen. Reisen wir denn jetzt nicht nach Irland?", fragte Anne.

„Doch", erwiderte Morgan. „Aber auch im dunklen Zeitalter des mittelalterlichen Europas haben die gelehrten Leute lateinisch geschrieben."

„Im dunklen Zeitalter?", wiederholte Philipp verständnislos.

„Ja", erklärte Morgan. „So nennt man die Zeit nach dem Fall des Römischen Reiches."

„Und warum nennt man sie dunkel?", fragte Philipp.

„Es waren schwierige Zeiten", erzählte Morgan. „Die Menschen mussten sehr hart arbeiten, damit sie das Nötigste zum Überleben hatten: Essen und Kleidung. Niemand hatte Zeit zum Spielen, Lernen, für Kunst oder Musik."

Morgan zog ein Buch aus ihrem Gewand.

„Das ist für eure Nachforschungen", sagte sie und gab Anne das Buch. Es hieß: *Irland im Mittelalter*.

„Und denkt daran", mahnte Morgan. „Dieses Buch wird euch leiten, aber in eurer dunkelsten Stunde ..."

„... kann nur die alte Geschichte uns retten", ergänzten Philipp und Anne im Chor.

„Vergesst es nicht", bat Morgan eindringlich. „Es muss wirklich eure dunkelste Stunde sein, wenn ihr gar keine Hoffnung mehr habt. Denn wenn ihr zu früh um Hilfe bittet, wird sie nicht kommen!"

„Aber zuerst müssen wir die Geschichte finden", sagte Anne.

„Das ist wahr." Morgan nickte. „Habt ihr eure geheimen Bibliothekskarten dabei?"

Philipp und Anne nickten.

„Zeigt sie dem weisesten Menschen, den ihr trefft", riet Morgan.

„Machen Sie sich keine Sorgen", sagte Anne. „Ich glaube, wir sind jetzt bereit."

Anne zeigte auf den Umschlag des Irland-Buches. „Ich wünschte, wir wären dort!", sagte sie und winkte Morgan zu. „Bis bald!"

„Viel Glück!", rief Morgan.

Wind kam auf.

Das Baumhaus begann, sich zu drehen.

Es drehte sich schneller und immer schneller.

Dann war alles wieder still.

Totenstill.

# Eine steile Klettertour

Philipp öffnete die Augen.

Das Licht war immer noch grau und fahl. Aber die Luft war kälter und noch feuchter als im Wald von Pepper Hill.

„Irre! Sieh nur, ich habe ein langes Kleid an", staunte Anne. „Ist ganz schön kratzig! Hey, ich habe ja auch noch eine kleine Tasche an meinem Gürtel. Da ist meine geheime Bibliothekskarte drin!"

Philipp sah an sich herunter.

Er trug ein Hemd und Hosen aus schwerer Wolle und lederne Schuhe. Statt seines Rucksacks hatte er eine Ledertasche um.

„Irre!", sagte Anne, als sie aus dem Fenster sah. „Das sieht ja wirklich aus wie das dunkle Zeitalter."

Auch Philipp schaute aus dem Fenster. Aber vor lauter Nebel konnte er nichts erkennen.

„Das ist nur, weil die Sonne noch nicht aufgegangen ist", sagte er. „Aber warte, ich lese gleich mal in dem Buch nach."

Anne reichte ihm das Irland-Buch. Philipp schlug es auf und las vor:

Das frühe Mittelalter wurde auch das dunkle Zeitalter genannt, weil Gelehrsamkeit und Kultur in Europa fast völlig verschwanden. Die heutigen Gelehrten loben die tapferen irischen Mönche, die dazu beitrugen, dass die westliche Zivilisation nicht unterging.

„Was bedeutet denn das Wort ‚Zivilisation', und was sind Mönche?", fragte Anne.

„Ich glaube, Zivilisation bedeutet, dass die Menschen Bücher, Kunst und gute Manieren haben", erklärte Philipp. „Und Mönche sind gläubige Männer, die viel beten, lesen und den Menschen helfen."

„Nun, ich sehe hier weder Zivilisation noch Mönche!", sagte Anne und deutete hinaus in den Nebel.

Philipp kramte sein Notizbuch heraus und schrieb auf:

*Tapfere Mönche in Irland*

Philipp sah Anne an. „Ich glaube, wenn wir hier Zivilisation finden, finden wir auch die Geschichte", sagte er.

„Na, dann los!", sagte Anne. Sie raffte ihr Kleid und kletterte aus dem Fenster.

Philipp las noch einen weiteren Absatz aus dem Irland-Buch:

Die Mönche vervielfältigten die alten Schriften der westlichen Welt. Ehe der Buchdruck erfunden wurde, mussten alle Bücher mit der Hand abgeschrieben werden.

„Hey, wir sind auf einer Klippe direkt über dem Meer!", rief Anne von draußen.

„Sei bloß vorsichtig!", rief Philipp zurück.

Er stopfte das Irland-Buch und sein Notizbuch zurück in die Ledertasche und kletterte auch aus dem Fenster.

Dann sahen Anne und Philipp über die Kante der Klippe.

Unten erkannten sie einen steinigen Strand. Die Wellen brandeten gegen die Felsen, und Möwen segelten über das Wasser.

„Sieht nicht so aus, als ob es dort unten irgendeine Zivilisation gäbe", meinte Philipp.

„Vielleicht müssen wir die hier nach oben klettern?", schlug Anne vor und deutete dabei auf steile Stufen, die hinter ihnen in den Felsen gehauen waren.

Philipp sah nach oben. Die Steilküste ragte über ihnen auf und verschwand im Nebel.

„Wir sollten warten, bis die Sonne aufgeht", riet Philipp.

„Und wenn wir ganz vorsichtig sind?", widersprach Anne. Und ehe Philipp etwas sagen konnte, erklomm Anne schon die ersten Stufen.

„Warte doch, Anne!", rief Philipp. „Die Stufen sind bestimmt rutschig."

„Mist", fluchte Anne. „Jetzt bin ich über mein Kleid gestolpert!"

„Ich habe dir doch gesagt, du sollst warten!", sagte Philipp. „Das ist einfach zu gefährlich!"

In dem Augenblick fiel etwas von oben herunter.

„Vorsicht!", schrie Philipp und verschränkte die Arme über dem Kopf.

„Hey, das ist ein Seil!", sagte Anne überrascht.

Philipp sah ein dickes Tau, das über den Stufen baumelte.

„Wo kommt das denn her?", fragte er.

„Das erinnert mich an die Strickleiter, die Morgan uns zugeworfen hat", sagte Anne. „Ich glaube, da will uns jemand helfen."

„Ja, aber wer?", überlegte Philipp.

„Das werden wir gleich herausfinden", sagte Anne. Sie packte das Seil. „Ich gehe zuerst. Wenn ich oben bin, kommst du nach."

„Okay. Aber beeil dich", sagte Philipp. „Und klettere vorsichtig!" Philipp wartete, während Anne die ersten Stufen hinaufstieg.

Anne hielt sich an dem Seil fest und kletterte langsam die Treppe hoch.

Bald war sie hinter dem Rand der
Steilklippe verschwunden.

„Was ist dort oben?", schrie Philipp.
Aber seine Stimme ging im Tosen der
Wellen unter.

Er packte das Seil und stieg seiner
Schwester nach. Oben angelangt, zog
er sich über den Rand der Klippe.

„Aha!", donnerte eine tiefe, fröhliche
Stimme. „Da kommt ja noch ein kleiner
Eindringling."

# Bruder Patrick

Philipps Brille war vom Nebel beschlagen. Er trocknete sie und sah sich um.

Ein Mann in einem braunen Gewand stand vor ihm. Er hatte ein rundes, rotes Gesicht. Außerdem hatte er fast eine Glatze – bis auf einen fransigen Haarkranz, der seinen Kopf zierte.

Das Seil war an einem Baum festgebunden.

„Ich ... ich bin doch kein Eindringling!", widersprach Philipp.

„Das ist Philipp", erklärte Anne. Sie stand hinter dem Mann. „Und ich bin Anne. Wir kommen aus Pepper Hill in Pennsylvania."

„Wir ... wir kommen in friedlicher Absicht!", versicherte Philipp.

Die blauen Augen des Mannes funkelten.

„Wisst ihr, was?", überlegte er. „Ich habe mich gefragt, was dort unten los ist, und habe das Seil nach unten geworfen, weil ich die Stufen hinunterklettern wollte. Stattdessen seid ihr zwei heraufgeklettert. Wie um alles in der Welt seid ihr überhaupt auf diese Insel gekommen?"

Philipp starrte den Mann an. Er wusste nicht, wie er das mit dem magischen Baumhaus erklären sollte.

„Mit unserem Boot!", sagte Anne rasch.

Der Mann sah überrascht aus. „Nicht viele Boote können in dieser dunklen, frühen Stunde hier anlegen."

„Na ja, wir sind eben gute Segler!",
schwindelte Anne.

„Oh Mann!", dachte Philipp und hoffte
inständig, dass niemand ihre
Segelkenntnisse auf die Probe stellen
würde.

„Wo genau sind wir eigentlich?",
fragte Anne. „Und wer genau sind
Sie?"

„Ihr seid auf einer Insel vor der Küste
Irlands", erklärte der Mann. „Und ich
bin Bruder Patrick."

„Wessen Bruder sind Sie?", fragte
Anne.

Der Mönch lächelte. „Das Wort
‚Bruder' bedeutet, dass ich ein
christlicher Mönch bin."

„Oh, dann sind Sie bestimmt einer
der Mönche, die die christliche
Zivilisation gerettet haben", rief Anne.

Der Mann lächelte wieder.

Anne wandte sich an Philipp und flüsterte: „Komm, wir zeigen ihm unsere geheimen Bibliothekskarten. Ich vertraue ihm."

„Okay", sagte Philipp. Auch er hatte ein gutes Gefühl bei der Sache.

Sie zogen beide ihre geheimen Bibliothekskarten hervor und zeigten sie Bruder Patrick.

Die Buchstaben M und B, die für
„Meister-Bibliothekare" standen,
schimmerten im grauen Morgenlicht.

Der Mönch betrachtete sie und neigte
dann den Kopf.

„Willkommen, meine Freunde!", sagte
er schließlich.

„Danke", erwiderten Anne und
Philipp.

„Ich habe nicht wirklich geglaubt,
dass ihr Eindringlinge seid!", erklärte
Bruder Patrick. „Aber auf unserer
kleinen Insel müssen wir uns vor
Fremden in Acht nehmen."

„Wieso?", wollte Anne wissen.

„Es gibt entsetzliche Geschichten über die Wikinger", erzählte der Mönch. „Wenn wir eines ihrer Schlangenschiffe sehen, müssen wir uns verstecken, oder wir werden in die Sklaverei geführt."

„Schlangenschiffe?", wiederholte Philipp verständnislos.

„Ja. Der Bug ihrer Schiffe hat oft die Form eines Schlangenkopfes", erzählte Bruder Patrick. „Ich fürchte, das ist ein Symbol ihrer Grausamkeit und Kaltblütigkeit."

Philipp blickte hinaus auf das nebel-
verhangene, graue Meer.

„Keine Bange", sagte Bruder Patrick.
„Sie können auf gar keinen Fall vor
Tagesanbruch auf der Insel anlegen.
Sie sind nämlich nicht so gute Segler
wie manch andere!" Er zwinkerte Anne
zu.

„Pech für sie!", erwiderte Anne
fröhlich.

„Aber nun verratet mir, weshalb ihr
hierher gekommen seid!", forderte
Bruder Patrick die Geschwister auf.

„Oh!", sagte Philipp. „Das hätte ich ja fast vergessen."

Er zog Morgans Zettel aus seiner Ledertasche und zeigte dem Mönch die lateinischen Worte.

erpens Magna

„Das ist der Titel einer Geschichte, die wir unserer Freundin und Lehrerin Morgan bringen sollen", erklärte Anne.

„Ich verstehe ...", murmelte Bruder Patrick und musterte Philipp und Anne mit einem merkwürdigen Blick.

„Was mag er jetzt wohl denken?", überlegte Philipp.

Aber der Mönch wechselte das Thema.

„Ihr möchtet doch sicherlich unser Kloster sehen", sagte er.

„Was ist ein Kloster?", fragte Anne.

„Das ist ein Ort, an dem Mönche zusammen leben und arbeiten", erklärte Bruder Patrick. „Kommt mit!"

„Aber die Sonne ist doch noch gar nicht aufgegangen", wandte Philipp ein. „Da schlafen doch sicher alle noch."

„Oh nein!", widersprach Bruder Patrick. „Im Sommer stehen wir lange vor Tagesanbruch auf. Wir haben nämlich viel Arbeit! Ihr werdet es gleich sehen."

Der Mönch führte sie auf einen Trampelpfad. Philipp hoffte, dass das Buch im Kloster war. Er wollte so schnell wie möglich wieder weg von dieser Insel und den drohenden Wikinger-Überfällen.

Plötzlich erklang eine Glocke. Und Philipp sah eine einsame Kirchturmspitze vor sich, die sich gegen den grauen Himmel abzeichnete.

# Wunder-Bücher

Das Kloster war von einer Steinmauer
umgeben.

Bruder Patrick führte Philipp und
Anne durch das Tor. Hinter dem Tor
stand eine kleine Kirche mit einem
Glockenturm.

Es gab hier auch einen Gemüse-
garten und sechs Steinhütten, die
aussahen wie riesige Bienenkörbe.

„Wir bauen alles, was wir essen,
selbst an", erklärte Bruder Patrick.
„Karotten, Spinat, Rüben, Weizen und
Bohnen."

Er führte sie zum Eingang der ersten
Hütte. Philipp und Anne spähten

hinein. Ein Mönch holte gerade ein
flaches Brot aus einem tiefen
Steinofen.

„Das ist unsere Bäckerei", sagte
Bruder Patrick.

„Riecht gut hier!", fand Anne.

„Kommt weiter", sagte Bruder Patrick.

Er deutete im Vorübergehen auf die
verschiedenen Hütten und erklärte:
„Hier drin sind unsere Schlafräume.
Dort weben wir unsere Stoffe. Dahinten
knüpfen wir unsere Sandalen. Und
dort drüben schnitzen wir unsere
Holzwerkzeuge."

In jeder Hütte sahen Philipp und Anne Mönche bei der Arbeit. Sie backten, webten, knüpften oder schnitzten.

Schließlich gelangten sie zur größten bienenkorbartigen Hütte.

„Das Beste habe ich mir bis zum Schluss aufgespart", sagte Bruder Patrick. „Hier erledigen wir unsere wichtigste Arbeit."

Er trat ein, und Philipp und Anne folgten ihm.

In der Hütte war es warm, und es ging friedlich, aber trotzdem sehr geschäftig zu. Das warme Licht vieler Kerzen erleuchtete den Raum.

Mönche saßen an hölzernen Tischen. Einige lasen, andere spielten Schach. Und wieder andere schrieben und malten in Bücher.

„Dies ist unsere Bibliothek", erklärte
Bruder Patrick. „Hier studieren wir
Mathematik, Geschichte und Dichtung.
Wir spielen Schach, und wir stellen
Bücher her."

„Philipp!", flüsterte Anne. „Ich glaube,
das hier ist es!"

„Was?", fragte Philipp.

„Zivilisation!", sagte Anne.

Bruder Patrick lachte.

„Ja, hier versteckt sie sich, die
Zivilisation", sagte er stolz, „hier auf
unserer kleinen Insel mitten im Meer."

„Oh Mann!", seufzte Philipp. „Ich
finde diesen Ort hier super!"

„Was für Bücher machen Sie hier?",
fragte Anne wissbegierig.

„Wunder-Bücher", antwortete Bruder
Patrick. „Wir schreiben christliche
Geschichten auf, aber ebenso die alten
Sagen und Mythen aus Irland."

„Mythen?", fragte Philipp.

„Ja", erwiderte Bruder Patrick. „Sie
wurden von unseren Geschichten-
erzählern gesammelt – von den alten
Frauen, die die Märchen aus alten
Zeiten erzählten, als die Menschen
noch an Magie glaubten."

„Irre!", staunte Anne.

„Kommt mit", forderte Bruder Patrick die beiden Geschwister auf. „Seht euch das Buch von Bruder Michael an. Er hat sein ganzes Leben lang daran gearbeitet."

Bruder Patrick führte Philipp und Anne hinüber zu einem alten Mönch. Dieser malte gerade an einer blauen Borte auf einer der Buchseiten.

„Michael, diese beiden Meister-Bibliothekare kommen von sehr weit her und würden sich gerne deine Arbeit anschauen", sagte Bruder Patrick.

Der alte Mönch sah Philipp und Anne an. Er verzog sein runzliges Gesicht zu einem Lächeln.

„Willkommen", sagte er mit einer dünnen, zittrigen Stimme.

„Hallo!", erwiderte Anne.

Bruder Michael zeigte ihnen den Umschlag seines Buches. Er war mit roten und blauen Juwelen besetzt.

Dann blätterte er um. Jede Seite war mit kunstvollen Buchstaben und zarten Zeichnungen in grüner, blauer und goldener Farbe verziert.

„So würde ich auch gerne malen können!", seufzte Anne.

„Das ist wunderschön!", sagte Philipp ehrfurchtsvoll.

„Danke sehr!", entgegnete Bruder Michael.

„Wie macht man so ein Buch wie dieses hier?", fragte Anne.

„Ich schreibe mit Gänsefedern auf Schafhäute", erklärte Bruder Michael. „Die Farben, die ich dafür benutze, werden aus Erde und Pflanzen hergestellt."

„Irre!" Anne staunte.

„Zeigt Michael, wonach ihr sucht", forderte Bruder Patrick die Geschwister auf.

Philipp gehorchte und zog den Zettel hervor, den Morgan ihm gegeben hatte. Er zeigte dem alten Mönch die lateinischen Worte.

Bruder Michael nickte.

„Ja", sagte er lächelnd. „Dieses Buch kenne ich ziemlich gut."

Bruder Michael blätterte zurück auf die Seite, die er gerade mit der blauen Borte verziert hatte. Er deutete auf den Seitenanfang.

„Oh Mann!", flüsterte Philipp.

Dort stand:

erpens Magna

# Kriegsschiffe in Sicht!

„Wir haben unsere Geschichte
gefunden!", jubelte Philipp.

„Juhu!", rief Anne.

„In der Tat!", sagte Bruder Patrick.
„Doch da Bruder Michael seine Arbeit
daran noch nicht abgeschlossen hat,
werdet ihr wohl ein andermal wieder
kommen müssen."

„Oh Mist!", sagte Anne.

Auch Philipp war enttäuscht.

„Ich weiß nicht, ob wir noch einmal
zurückkommen können!", sagte er.

„Und ich weiß nicht einmal, ob wir
ohne die Geschichte überhaupt von
hier wegkönnen", fügte Anne hinzu.

Bruder Patrick sah sie verständnislos an.

Die Geschwister blickten einander an und sahen dann zu Bruder Patrick hinüber. Es war zu kompliziert, ihm zu erklären, wie die Sache mit dem magischen Baumhaus funktionierte.

Philipp zuckte mit den Schultern.

„Wir müssen es eben versuchen", beschloss er.

Draußen läutete die Glocke.

„Es ist Zeit für unser Gebet zum Sonnenaufgang", sagte Bruder Patrick. „Wollt ihr mitkommen?"

„Danke, aber ich glaube, wir versuchen lieber, wieder nach Hause zu kommen", lehnte Philipp ab.

Bruder Patrick nickte und führte sie zurück in den Garten. Als er das Tor öffnete, blieben sie stehen.

Der Horizont glühte rot und orange.
Die Sonne ging auf.

Niemand sprach ein Wort, während
sich der große, feuerrote Ball langsam
aus dem Meer erhob.

Schließlich brach Bruder Patrick die Stille. „Scheine, oh Licht der Sonne", sagte er, „an diesem Tag voller Wunder!"

„Es ist so wunderschön!", flüsterte Anne.

Philipp lächelte.

Bruder Patrick wandte sich an die Geschwister: „Es sind Momente wie dieser, die uns zum Büchermachen bewegen", sagte er. „Geht jetzt. Möge Gott bei eurer Heimreise mit euch sein."

„Vielen Dank!" Anne und Philipp gaben Bruder Patrick die Hand.

„Soll ich euch zu eurem Boot begleiten?", fragte der Mönch.

„Danke, nicht nötig", erwiderte Philipp.

„Dieser Pfad führt hinauf auf die Klippe", erklärte Bruder Patrick.

„Benutzt mein Seil, wenn ihr die Stufen hinabsteigt."

„Okay!", sagte Anne. „Wiedersehen!" Dann ging sie durch das Tor.

Philipp wollte zwar nach Hause, aber er verließ das Kloster nur ungern. Dort taten die Mönche das, was auch er am liebsten mochte: lernen und lesen.

„Es gefällt mir wirklich gut hier!", sagte er zu Bruder Patrick.

„Das freut mich. Aber ihr müsst gehen, solange das Wetter sich noch hält", entgegnete der Mönch. „Im nächsten Augenblick kann alles wieder anders sein!"

Bruder Patrick drehte sich um und ging in die Kirche.

Philipp eilte durch das Tor. Dann blieb er stehen und zog sein Notizbuch aus der Tasche.

Rasch machte er zwei Listen:

*Um ein Buch zu machen:*    *Um Farbe herzustellen:*
*Schafhäute*              *Erde*
*Gänsefedern*          *Pflanzen*
*Farben*

„Komm schon!", rief Anne, die schon
oben an der Treppe stand.

„Bin gleich wieder da!", rief Philipp
zurück.

Er packte sein Notizbuch wieder ein
und rannte den Trampelpfad hinauf zur
Klippe.

Über Anne und Philipp kreisten
unzählige Möwen am roten Himmel.
Ihre Rufe klangen wie Schreie.

„Was haben die bloß?", fragte
Philipp.

„Vielleicht machen die das ja immer

bei Sonnenaufgang", vermutete Anne.
„Lass mich vorausgehen."

Sie hielt sich am Seil fest und
kletterte die Stufen hinunter.

Philipp packte das Seil ebenfalls und
kletterte Anne hinterher. Die Vögel
schrien immer noch. Das beunruhigte
ihn. Die Schreie klangen wie eine
Warnung.

Philipp erreichte den Felsvorsprung
und ließ das Seil los.

„Komm, gehen wir!", rief Anne aus
dem Baumhaus.

Philipp sah ein letztes Mal zum
Horizont – und ihm blieb fast das Herz
stehen. Ein Schiff zeichnete sich am
Himmel ab. Dahinter erkannte er zwei
weitere Schiffe. Mit ihren leuchtenden
Segeln kamen sie immer näher, und ihr
Schlangenbug glänzte im Sonnenlicht.

„Oh nein", flüsterte Philipp. „Das sind
Wikinger!"

# Die Wikinger kommen!

„Anne!", schrie Philipp. „Die Wikinger!"

Anne schaute zum Fenster des Baumhauses heraus. „Wikinger?"

„Sie kommen direkt auf die Insel zu!", rief Philipp.

Er rannte zurück zu den Stufen.

„Wo willst du denn hin?", schrie Anne.

„Die Mönche warnen!", antwortete Philipp.

„Ich komme mit!", beschloss Anne und kletterte wieder aus dem Baumhaus.

„Beeil dich!", forderte Philipp seine Schwester auf.

Philipp benutzte nicht einmal das Seil, sondern zog sich mit den Händen die Stufen hinauf.

Als Philipp und Anne die Klippe hochkletterten, verdeckten erste Wolken die Sonne. Als die beiden oben ankamen, waren die Schlangenschiffe schon fast vom Nebel verschluckt.

„Lauf!", schrie Anne.

Der Nebel lag jetzt über der gesamten Insel. Philipp und Anne konnten den Pfad zum Kloster kaum noch erkennen.

Als sie am Tor ankamen, war um sie herum alles ganz still.

„Wikinger!", rief Philipp. „Die Wikinger kommen!"

„Die Mönche sind bestimmt noch in der Kirche", fiel Anne ein. Sie zog am Glockenseil.

*Dong! Dong!*

Bruder Patrick und die anderen Mönche kamen aus der Kirche gelaufen.

„Die Wikinger kommen!", wiederholte Philipp.

Bruder Patrick wurde blass.

„Macht schnell!", rief er den anderen Mönchen zu. „Holt die Bücher, und versteckt euch!"

Die Mönche rannten in die Bibliothek. Bruder Patrick wandte sich an Philipp und Anne.

58

„Wir haben ein Versteck auf der anderen Seite der Insel", erklärte er. „Ihr könnt mit uns kommen! Aber ich weiß nicht, ob ihr dort völlig sicher sein werdet."

„Machen Sie sich keine Sorgen!", sagte Philipp. „Wir werden versuchen, nach Hause zu kommen."

„Geht aber nicht die Stufen hinunter", riet Bruder Patrick. „Die Wikinger werden sie sicherlich benutzen."

„Aber wie sollen wir denn dann runterkommen?", fragte Philipp.

„Geht hier entlang", antwortete Bruder Patrick und zeigte in eine andere Richtung. „Am Rand der Klippe stehen zwei große Felsen. Ein Pfad zwischen diesen Felsen führt hinab zum Strand. Dann könnt ihr zu eurem Boot laufen."

„Vielen Dank!", sagte Anne.

„Seid vorsichtig!", warnte Bruder Patrick. Dann lief er in die Bibliothek.

„Wartet!", rief eine zittrige Stimme, als Philipp und Anne gerade auch davonlaufen wollten.

Es war Bruder Michael. Er humpelte auf sie zu und hielt ihnen das Buch mit den irischen Sagen hin.

„Nehmt es!", sagte er.

„Sind Sie sicher?", fragte Philipp. Schließlich wusste er, dass es Bruder Michaels Lebenswerk war.

„Bitte!", beharrte Bruder Michael. „Es ist doch besser, wenn der Welt einige davon erhalten bleiben, als wenn sie alle verloren gingen. Nur für den Fall ..."

„Wir werden gut darauf aufpassen!", versprach Philipp. Er steckte das juwelenbesetzte Buch vorsichtig in seine Ledertasche.

„Viel Glück!", sagte Anne.

Sie und Philipp winkten dem alten Mann hinterher. Dann rannten sie zu den Felsen, von denen Bruder Patrick gesprochen hatte.

# Gefangen im Nebel

Über den Felsen kreischten immer noch die Möwen. Philipp konnte bei dem Nebel kaum erkennen, wohin der steile Pfad führte.

„Geh langsam!", flüsterte Philipp seiner Schwester zu, als sie hinabstiegen.

„Oje!", rief Anne. Sie rutschte aus, fiel nach vorn und stieß gegen ihren Bruder. „Mein Fuß hat sich wieder in diesem dämlichen Kleid verfangen!"

„Pssst!", machte Philipp.

Er hielt Anne fest. Sie lauschten. Kiesel und Steine kullerten die Klippe hinab.

Philipp atmete tief durch.

„Wir müssen auch nach Wikingern Ausschau halten!", flüsterte er.

Sie gingen auf dem steilen Pfad weiter, einen Schritt nach dem anderen. Das Geräusch der Wellen, die an die Felsen brandeten, wurde lauter.

Schließlich standen sie auf einem schmalen Kiesstreifen.

„Wo sind wir?", flüsterte Anne.

„Keine Ahnung", flüsterte Philipp zurück.

„Oh, schau doch!", sagte Anne. Sie deutete auf das Wasser.

Im Nebel erhob sich der Schlangenbug der Wikingerschiffe!

Philipp und Anne schlichen sich näher heran. Die Segel waren gerefft. Jedes Schiff war an einen der großen, zerklüfteten Felsen gebunden.

Sie schienen verlassen zu sein, wie sie so auf den kleinen Wellen tanzten.

Philipp hätte zu gerne eins der Schiffe genauer untersucht. Aber er wollte keine Zeit verlieren.

„Wir suchen jetzt besser nach dem Baumhaus!", schlug Anne vor.

Sie krochen an den drei Wikingerschiffen vorbei.

Plötzlich erstarrten sie alle beide.

Durch den Nebel sahen sie eine Gruppe von Wikingern. Die Krieger sahen hinauf zur Klippe.

Ihr langes blondes Haar schaute unter ihren eisernen Helmen hervor. Sie trugen runde, hölzerne Schilde, Schwerter und Äxte.

„Sieht aus, als ob sie nach oben wollten", wisperte Anne.

„Wir müssen uns verstecken, bis sie

weg sind", flüsterte Philipp. „Und dann
suchen wir nach unserem Baumhaus."

„Wir könnten uns in einem der Schiffe
verstecken", schlug Anne vor.

„Gute Idee!", fand Philipp.

Sie krochen zurück an die Stelle, wo die Schiffe angebunden waren.

Philipp war froh, als er sah, dass die Reling des kleinsten Schiffes nicht sehr hoch war. Sie würden leicht darüber klettern können.

„Geh du zuerst", sagte Anne.

Philipp watete durch das flache Wasser. Es war eiskalt.

Er erreichte das Schiff, zog sich hoch und hievte sich an Deck.

Das Schiff machte einen Ruck nach vorn. Philipp schaute zum Strand, der nun etwa zehn Meter entfernt war. Das Ankerseil des Schiffes war fest gespannt. Der Schlangenbug tanzte auf den Wellen auf und ab.

Durch den Nebel und die Bewegung des Schiffes kam es Philipp vor, als träume er. Einen Augenblick lang vergaß er sogar seine Angst vor den Wikingern.

„Das ist so cool hier!", sagte er.
„Komm schon, Anne!"

Anne watete auf das Schiff zu. Dann
verschwand sie plötzlich.

„Anne?", rief Philipp.

Ihr Kopf tauchte aus dem Wasser auf.
Sie plantschte mit den Armen.

„Es ist ... ist so tief!", keuchte sie. „Mein Kleid ist ... so schwer!"

„Halte dich an dem Seil fest", forderte Philipp seine Schwester auf. „So wie vorhin, als wir die Stufen hochgeklettert sind!"

Anne packte das Seil, an dem das Schiff festgebunden war, und hangelte sich daran entlang.

„Halte dich fest!", rief Philipp.

„Mach ich, mach ich!", keuchte Anne.

Sie hangelte sich an dem Seil entlang bis zum Schiff.

Als Anne näher kam, streckte Philipp seine Hand aus, um ihr zu helfen. Als er sie an Deck zog, neigte sich die Seite des Schiffes nach unten.

Dann wurde das Seil auf einmal schlaff, und das Wikingerschiff glitt hinaus aufs Meer.

# Allein auf dem Meer

Anne fiel auf das Deck des Wikingerschiffes.

Philipp zog das Seil aus dem Wasser.
Das Ende war immer noch zu einer
Schlaufe festgebunden.

„Was ist denn passiert?", fragte
Anne.

„Wir treiben hinaus aufs Meer",
antwortete Philipp. „Ich vermute, all das
Ziehen hat das Seil vom Felsen
gelockert."

Anne setzte sich und sah hinaus in
den Nebel.

„Ich kann die Insel nicht mehr
sehen!", sagte sie.

„Ich kann überhaupt nichts mehr sehen!", bestätigte Philipp.

Anne sah Philipp an.

„Glaubst du, das hier ist jetzt unsere dunkelste Stunde?", fragte sie.

„Ich weiß es nicht!", antwortete Philipp. „Vielleicht steht ja etwas in unserem Irland-Buch!"

Er nahm das Buch heraus und fand das Bild eines Wikingerschiffes. Dann las er den Abschnitt laut vor:

Die Wikingerschiffe waren zu ihrer Zeit die besten Schiffe überhaupt. Wenn kein Wind wehte, konnte die Besatzung das Segel reffen und rudern. Das kleinste Schiff hatte vier Ruder, und das größte sogar zweiunddreißig. Die Ruderer saßen auf Holzkisten, in denen sie ihre Besitztümer verstaut hatten.

„Toll", sagte Anne und sprang auf. „Das ist *nicht* unsere dunkelste Stunde!"

„Warum nicht?", wollte Philipp wissen.

„Weil es noch Hoffnung gibt", antwortete Anne. „Wir können zurück zur Insel rudern und das Baumhaus suchen."

„Spinnst du?" Philipp zeigte Anne einen Vogel.

„Bitte, Philipp!", drängte Anne. „Lass es uns doch mal versuchen!"

Sie ergriff eines der Ruder, konnte es aber kaum heben.

„Vergiss es, Anne", sagte Philipp. „Man braucht vier starke Wikinger, um dieses Schiff zu rudern. Du bist zu klein, und ich bin auch zu klein."

„Na los, Philipp. Versuch es doch", bat Anne. „Nimm auch ein Ruder, und dann setzen wir uns auf zwei Kisten einander gegenüber."

„Oh Mann!", seufzte Philipp.

Anne schleppte ihr langes Ruder hinüber zu einer Holzkiste.

„Ich mach das aber nicht alleine!", verkündete sie.

Philipp stöhnte und schleppte ein Ruder zu der Kiste, die gegenüber von Annes stand.

„Cool!", fand Anne. Sie schaute in eine der Holzkisten und holte zwei kleine Wikingerhelme heraus. „Sieh mal, einer für jeden von uns!"

„Vielleicht sind die für Wikingerkinder, die manchmal auf diesen Schiffen mitfahren", vermutete Anne.

„Vielleicht", meinte Philipp.

Er hatte noch nie darüber nachgedacht, dass diese Wikinger echte Menschen sein könnten – Menschen mit Familien und mit kleinen Kindern.

Anne setzte einen Wikingerhelm auf.

„Jetzt fühle ich mich auch wie ein Wikinger!", stellte sie fest. „Ich wette, das macht das Rudern leichter!"

Sie reichte Philipp den anderen Helm. Er setzte ihn auf, und plötzlich fühlte auch er sich ein bisschen anders als zuvor.

„Ich weiß nicht ...", sagte er zögernd. Der Helm war leichter als der, den er mal bei den Rittern getragen hatte. Aber er war immer noch ziemlich schwer.

„Also, ich bin viel mutiger mit meinem Helm auf dem Kopf", verkündete Anne.

Philipp lächelte. Er fand, Anne konnte gar nicht mehr mutiger werden, als sie ohnehin schon war.

„Bereit zum Rudern?", fragte Anne.

„Ja", antwortete Philipp und merkte, dass auch er sich etwas mutiger fühlte.

Der Wind frischte auf, als Philipp das schwere Ruder über die Reling des Schiffs hob. Er senkte es hinab ins Wasser. Aber die Strömung war so stark, dass sie ihm das Ruder förmlich aus den Händen riss.

Philipp fiel nach hinten, als das Ruder ins Meer glitt.

„Mein Ruder ist auch weg!", rief Anne.

Es fing an zu regnen. Der Himmel war pechschwarz. Ein Schwall Meerwasser schwappte über die Planken des Schiffes.

„Brrr!", machte Anne, als sie versuchte, sich aufzurichten.

Am schwarzen Himmel zuckten Blitze, und der Donner grollte bedrohlich. Eine weitere Riesenwelle rollte auf das Schiff zu.

Philipp kroch zur Reling und zog sich an ihr hoch.

„Das ist jetzt bestimmt unsere dunkelste Stunde!", brüllte Anne. „Schnell! Hol Bruder Michaels Buch hervor!"

Philipp griff in die Ledertasche, nahm
das juwelenbesetzte Buch heraus und
hielt es hoch.

„Rette uns, Buch!", rief er verzweifelt.

Er sah wieder hinaus aufs Meer. Aber
was er da sah, ließ ihm das Blut in den
Adern gefrieren.

Aus den tosenden Wellen erhob sich
eine riesige Schlange.

# Ein Seeungeheuer

Die Seeschlange hob ihren Kopf höher und höher aus dem Wasser.

Philipp war unfähig, sich zu bewegen.

„Ist die schön!", flüsterte Anne.

„Schön?", schrie Philipp entsetzt.

Die Schlange ragte jetzt so hoch wie ein zweistöckiges Haus aus dem Wasser. Ihre grünen Schuppen waren mit Algen bewachsen.

„Geh weg!", schrie Philipp.

„Nein!", rief Anne. „Bleib! Hilf uns!"

Die Riesenschlange glitt näher an das Schiff heran.

Philipp duckte sich.

„Komm schon!", bat Anne die Schlange. „Du schaffst das! Bring uns an Land zurück, bevor das Schiff sinkt!"

Philipp schloss die Augen. Dann ging ein Ruck durch das Schiff. Es bewegte sich nach vorn.

Er machte die Augen wieder auf. Das Schiff glitt jetzt über die gewaltigen Wellen.

Philipp drehte sich um. Die riesige Schlange schob das Schiff in Richtung Strand.

Währenddessen legte sich der Wind.
Die Wolken rissen auf, und das Wasser
glitzerte im Sonnenlicht.

Der steinige Strand kam immer
näher. Philipp konnte schon das
Baumhaus auf dem Vorsprung über
dem Strand erkennen.

„Beeil dich!", rief Anne dem
Seeungeheuer zu.

Die große Schlange gab dem Schiff
einen letzten kräftigen Schubs – und
das Schiff setzte auf einer Sandbank
vor dem Ufer auf.

Philipp steckte das Buch vorsichtig
zurück in die Ledertasche. Dann
kletterten die Geschwister aus dem
Schiff auf die nasse Sandbank. Sie
sahen zurück aufs Meer.

Die gewaltige Schlange reckte sich hoch in den Himmel. Ihre Schuppen glitzerten grün und rosa im Sonnenlicht.

„Auf Wiedersehen!", rief Anne. „Und vielen Dank!"

Das Seeungeheuer schien ihr zuzunicken. Dann tauchte es zurück ins Meer und war verschwunden.

Philipp und Anne gingen auf die Felsen zu. Plötzlich bekam Anne einen Riesenschreck.

„Oje!", flüsterte sie und deutete zur Klippe hinauf.

Zwei Wikinger starrten auf sie herab.

„Auf zum Baumhaus!", schrie Philipp.

Die Wikinger brüllten etwas und liefen die steilen Stufen hinab.

Philipp und Anne kletterten über die Felsen nach oben.

Sie erreichten das Baumhaus und kletterten hinein.

Philipp schnappte sich das Pennsylvania-Buch, während Anne den Kopf zum Fenster hinausstreckte.

„Geht heim, und hört auf, überall Ärger zu machen!", rief sie den Wikingern zu, die jetzt schon fast den Felsvorsprung erreicht hatten.

Philipp deutete auf das Bild des Waldes von Pepper Hill.

„Ich wünschte, wir wären dort!", sagte er.

Gerade, als die beiden Wikinger auf den Felsvorsprung sprangen, kam Wind auf.

Das Baumhaus begann, sich zu drehen.

Es drehte sich schneller und immer schneller.

Dann war alles wieder still.

Totenstill.

# Sterne am Himmelszelt

„Mann, bin ich froh, dass ich wieder meine Jeans anhabe!", seufzte Anne.

Philipp öffnete seine Augen. Er hatte immer noch das Gefühl, als sei alles feucht. Aber auch er war froh, wieder seine Jeans anzuhaben.

„Willkommen zu Hause!", sagte Morgan lächelnd. Sie stand im Schatten. „Geht es euch gut?"

„Natürlich!", antwortete Anne.

„Und wir haben das Buch mitgebracht", sagte Philipp stolz.

Er fasste in seinen Rucksack, holte das juwelenbesetzte Buch von Bruder Michael hervor und gab es Morgan.

Die Zauberin seufzte und strich mit ihrer Hand über den kunstvollen Einband.

„Was für ein großartiges Kunstwerk!", sagte sie.

Morgan legte das Buch neben die römische Schriftrolle und das Bambus-Buch aus dem alten China.

„Ich fürchte, die Geschichte, die Sie wollten, ist nicht vollständig", bedauerte Philipp. „Bruder Michael hatte nicht mehr die Gelegenheit, das Buch zu Ende zu schreiben."

Morgan nickte. „Ich weiß", entgegnete sie. „Bedauerlicherweise haben wir von vielen alten Geschichten nur noch Bruchstücke."

„Wovon handelt die Geschichte denn?", fragte Anne.

„Es ist eine alte irische Sage von einer großen Schlange mit dem Namen Sarph", erzählte Morgan.

„Die hat uns gerettet, indem sie unser Schiff durch das stürmische Meer geschoben hat!", unterbrach Anne die Zauberin.

„Sarph war ein riesiges, hässliches Monster!", behauptete Philipp.

Morgan lächelte. „Manchmal können auch Monster Helden sein!"

„Und die Wikinger?", fragte Philipp.

„Oh, natürlich waren auch die Wikinger Helden", gab Morgan zu. „Und als sie sesshaft wurden, waren sie weit mehr als nur Krieger. Sie haben auch eine Menge zur Zivilisation beigetragen."

„Wir haben auf unserer Reise auch Zivilisation gefunden!", erzählte Anne.

„Ja, in der Klosterbibliothek!", ergänzte Philipp.

Morgan lächelte wieder. „Diese Bibliothek war ein wahrer Lichtblick in jenen dunklen Zeiten, nicht wahr?"

Philipp nickte. Er dachte an Bruder Michael und die anderen Mönche, wie sie bei Kerzenlicht ihre wundervollen Bücher herstellten.

„Habt Dank für euren Mut!", sagte Morgan. „Ihr beide seid ebenfalls Helden."

Philipp lächelte schüchtern.

„Und jetzt geht nach Hause und ruht euch aus", schlug Morgan vor.

„Wiedersehen!" Die Geschwister verabschiedeten sich und kletterten die Strickleiter hinunter.

Als sie unten angekommen waren, rief Morgan ihnen zu: „Nachts könnt ihr alle Figuren aus den Geschichten, die ihr gerettet habt, sehen. Sie sind alle da: Herkules, die Seidenweberin und Sarph, das Seeungeheuer."

Philipp rückte seine Brille zurecht und sah in den dunklen Wald.

„Wo sind sie, Morgan?", fragte Anne.

„Ihr müsst genau hinsehen",
antwortete Morgan.

„Ich kann nichts erkennen!",
bedauerte Anne.

„Doch, das kannst du", widersprach
Morgan. „Die alten Geschichten sind
immer um uns. Wir sind nie allein."

„Ist Morgan jetzt verrückt
geworden?", dachte Philipp.

„Seht nach oben", forderte Morgan
die Geschwister auf. „Eure Freunde
sind am Himmelszelt – als Sterne."

„Als Sterne?", wiederholte Philipp.

Er starrte zum Nachthimmel mit
seinen winzigen, schimmernden
Sternen hinauf.

„Herkules ist ein Sternbild", erklärte
Morgan. „Die Römer stellten sich vor,
dass er am Himmel kniet und eine
Keule über seinem Kopf hält."

Morgan bewegte ihre Finger über den Himmel, und für einen Augenblick sah Philipp den lebendigen, atmenden Herkules, umrahmt von Sternen.

„Und hier ist die Seidenweberin mit ihrem geliebten Kuhhirten", erzählte Morgan weiter. „Die alten Chinesen glaubten, dass die beiden zwei Sterne links und rechts der Milchstraße sind."

Morgan strich erneut mit ihren Fingern über den Himmel. Jetzt erschien dort die liebliche Seidenweberin.

„Und vor unendlich langer Zeit glaubten die Menschen in Irland, dass die Milchstraße selbst das Schlangenungeheuer Sarph ist", berichtete Morgan. Sie bewegte ihre Hand, und eine ungeheure Schlange glitzerte am Himmel.

Nach einem atemlosen Moment des Schweigens senkte Morgan ihren Arm. Jetzt wurde der Nachthimmel wieder zu einem samtigen Feld winziger, glitzernder Sterne.

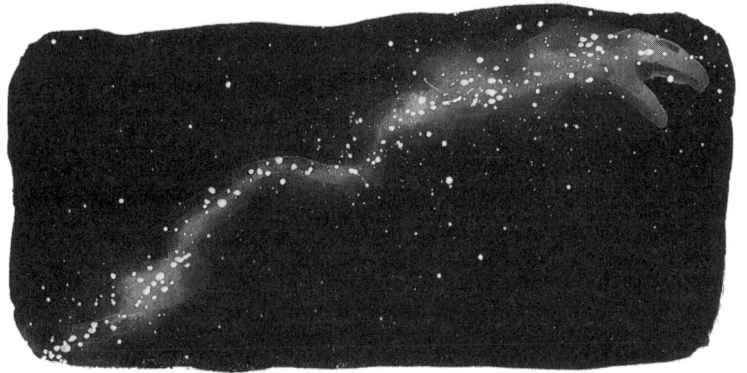

„Ihr habt wunderbare Arbeit geleistet als Meister-Bibliothekare!", lobte Morgan die Kinder. „Ich würde euch ohne Bedenken mit jeder wichtigen Aufgabe betrauen."

„Heißt das etwa, dass wir noch mehr Reisen machen werden?", fragte Philipp.

„Genau das!", bestätigte Morgan. „Noch sehr viele!"

Philipp lächelte erleichtert.

„Wann werden wir unsere nächste Aufgabe bekommen?", fragte Anne.

„Sobald ich eure Hilfe wieder brauche, werde ich nach euch schicken", versicherte Morgan. „Aber nun geht nach Hause und ruht euch aus."

„Auf Wiedersehen!", sagten Anne und Philipp.

„Macht es gut!", entgegnete Morgan.

Die Geschwister spürten einen plötzlichen Windstoß und sahen einen verschwommenen Streifen blendenden Lichtes. Dann waren Morgan und das magische Baumhaus verschwunden. Die Nacht war wieder ruhig und still.

„Gehen wir heim?", fragte Anne.

„Klar!", antwortete Philipp.

Sie liefen durch den dunklen Wald. Vereinzelte Nebelschwaden hingen noch zwischen den Bäumen. Philipp konnte kaum den Weg erkennen. Auf einmal hatte er das Gefühl, dass ihn jemand – oder etwas – durch den dunklen Wald geleitete.

Er erinnerte sich an Morgans Worte: „Die alten Geschichten sind immer bei uns. Wir sind nie allein."

Philipp sah hoch zum Himmel. Die Sterne verblassten, und das graue Licht des Morgens dämmerte herauf.

Bald würde die Sonne aufgehen.

*Mary Pope Osborne* lernte schon als Kind viele Länder kennen. Mit ihrer Familie lebte sie in Österreich, Oklahoma, Florida und anderswo in Amerika. Nach ihrem Studium zog es sie wieder in die Ferne, und sie reiste viele Monate durch Asien. Schließlich begann sie zu schreiben und war damit außerordentlich erfolgreich. Bis heute sind schon über vierzig Bücher von Mary Pope Osborne erschienen. *Das magische Baumhaus* ist in den USA eine der beliebtesten Kinderbuchreihen.

*Rooobert Bayer*, 1968 in Wien geboren, machte sein Hobby mit 24 Jahren zum Beruf. Als Zeichner war jetzt kein Blatt Papier mehr vor ihm sicher. Von Karikaturen bis zu Wandgemälden malte er fast alles, was ihm unter die Pinsel kam. Jetzt illustriert er insbesondere Kinderbücher.

# Das magische Baumhaus

**Rätselhafte Abenteuer in fremden Welten und längst
vergangenen Zeiten erwarten dich in allen Bänden!**

*Band 23*

*Band 24*

*Band 25*

*Band 26*

*Band 27*

*Band 28*

*Band 29*

*Band 30*

## Bereits erschienen:

**Loewe**